8/21

mafalda

el amor según mafalda

RAQUEL
y
Alberto

QUINO

Lumen

Nota editorial

¿Qué es el amor? Es una de las preguntas que se ha venido haciendo la humanidad desde el inicio de los tiempos, y quién mejor que Quino y Mafalda para responderla con su particular mezcla de sabiduría y humor.

«¿Vos qué opinás del amor, Manolito?», le pregunta Susanita a su amigo, a lo que este contesta: «¿Del amor a qué?». Y es que el amor no tiene por qué dirigirse a alguien, ni mucho menos ser un amor romántico y acaramelado, ni atormentado y secreto, ni tampoco vincularse a una pareja. Quien conozca (¡pero ¿hay alguien en este mundo que todavía no lo haga?!) a Mafalda sabrá que Quino jamás pondría en su boca las tramas de princesas o las obsesiones por el amorío que a menudo asociamos a la imaginación de una niña. En todo caso, es a su amiga, la irremediable Susanita, a quien corresponden esos clichés, en una versión tan exasperada como irresistiblemente cómica. En la mencionada tira en la que Susanita y Manolito conversan sobre el amor, ella lo describe como flotar entre tules mientras oyes música de violines, pero para él es más bien como columpiarse en una hamaca mientras le tiras cascotazos a un tambor. El amor según Mafalda, y por tanto según Quino, habla mucho más de amistad, compasión, empatía y solidaridad, de amor al prójimo, amor propio y amor a las pequeñas cosas de la vida: la radio, los Beatles, el Pájaro Loco, los caramelos, las historias de cowboys, los libros o Brigitte Bardot. Y como es natural, también habla de su reverso: el odio, los celos, la incomprensión, el egoísmo, la desafección.

Quino lo sabe: la imaginación de un niño es mucho más grande de lo que nos dicen. El amor de un niño es mucho más grande de lo que nos cuentan. La amistad de un niño es mucho más grande de lo que jamás sospechamos. Y por eso ha construido a una familia de personajes preparados para ensanchar nuestro órgano bombeador y amatorio. Ya sea desde la ternura que desprenden Guille, Miguelito o Felipe, desde una versión más que original del espíritu, tan característica de las personalidades de Manolito, Susanita y Libertad, o desde la potentísima energía renovable que es siempre el discurso de Mafalda, la selección de viñetas que aquí presentamos podría asumirse como una guía de comportamiento ante las injusticias del mundo. Porque lo importante del amor no es ya el romanticismo de colores pálidos, sino la capacidad de contenernos, el trabajo de la amistad más atenta y, por último, el cuidado de los nuestros pero también del amplio mundo que habitamos para que siga siendo habitable en el futuro.

Por eso, cuando hablamos del «amor según Mafalda», de lo que estamos hablando en realidad es de la esperanza de un mundo mejor: de esa esperanza luminosa en manos de esos chicos locos de seis añitos a los que no les tiembla la voz al enfrentarse al poder. Así, podemos decir que el amor es Mafalda interesándose por la paz, el progreso, la humanidad y el conocimiento, o preguntando cómo puede ponerse una tirita en el alma después de haber visto a unos niños huérfanos en la calle. El amor es Felipe refugiándose en las historietas, o fingiendo que con el disfraz del Llanero Solitario podrá resolver todos sus miedos e inseguridades. El amor es Manolito cuando acaricia la hucha en la que se esconden sus monedas, pero también sus sueños de futuro. El amor es Susanita deseando —además de un marido médico y un futuro con «¡hijitos!»— ser buena persona, aunque sepa que la educaron en el individualismo. El amor es Miguelito filosofando sobre la patria, su propia idiosincrasia y el sentido de la vida. El amor es Guille proclamando que su mamá es la mujer más fuerte del mundo. Y el amor es, también, Libertad preocupándose por su padre, o haciendo ver a los adultos que hasta la niña más chiquita del mundo es capaz de plantarle cara a las injusticias más grandes.

Ahora que el mundo vive sumido en una enorme lista de tiranteces, adivinar qué es el amor, la solidaridad, la ternura y la amistad a través de una pequeña filósofa como lo es Mafalda se ha convertido casi en un acto de urgencia.

Así que, como dirían todos ellos, crispados y con los brazos en jarras: ¡no sean zanahorias y amen de verdad!

a Mafalda, Felipe, Manolito,
Susanita, Miguelito, Guille
y Libertad

QUINO

...Y CUANDO LA POBLA-CIÓN MUNDIAL LLEGUE A SIETE MIL MILLONES, ¡VAMOS A VIVIR TODOS APRETADOS COMO PEREJIL EN MACETA!

¡VAMOS, MAFALDA!... ¡NO HAY QUE TOMAR EL ASUNTO TAN A LA TREMENDA! ¡NO ES PROBLEMA LA CANTIDAD DE GENTE!

¡LO ESENCIAL ES QUE NO AUMENTE EL PORCENTAJE DE TONTOS!... ¡Y ESO NO TIENE POR QUÉ OCURRIR!

TENÉS RAZÓN, FELIPE. NO LO HABÍA PENSADO. ¡GRACIAS POR TRANQUILIZARME!

SE ME OCURRE QUE EL DÍA DE MAÑANA NO VOY A SER MAL PADRE

¿ASÍ QUE TU HERMANO ACABA DE DEJAR LA VIDA MILITAR? ¡CONTAME ALGO DE ÉL, MANOLITO, QUERIDO!

¿LAS CHICAS DE LA SOCIEDAD LO INVITA-BAN A SUS FIESTAS DE 15 AÑOS, Y ÉL BAILABA, CON SU HERMOSO UNIFORME DE CADETE?

MI HERMANO NO ERA CADETE, ¡ERA CONSCRIPTO!

¡QUÉ ASCO!...

21

DECIME, ¿CÓMO SE LLAMA ESO QUE, ¡FFGGGSS!, HACEN LOS JAPONESES PARA SUICIDARSE?

HARAKIRI. ¿POR QUÉ?

PORQUE YO LE DISCUTÍ A MAFALDA QUE SE LLAMABA "IKEBANA"

Y BUENO..., VAS Y LE DECÍS: "MAFALDA, RECONOZCO QUE ESTABA EQUIVOCADO"

COMPRENDO; ES DURO TENER QUE ADMITIR QUE UNO ESTABA EQUIVOCADO

¡OTRA QUE DURO!...

¡ES EL HARAKIRI DEL ORGULLO!

¡NO SÉ QUIÉN ME MANDA A EMBARCARME EN ESTAS COSAS CON ÉL!...

¡COMO SI NO SUPIERA QUE SIEMPRE PASA LO MISMO!

¡SOY MÁS ESTÚPIDA QUE NO SÉ QUÉ!

¿MOVISTE DE UNA VEZ, MANOLITO?

¡EEEEEEH! ¡NO SOY UNA IBM!

¡NO SÉ QUIÉN ME MANDA A EMBARCARME EN ESTAS COSAS CON ÉL!...

HE SABIDO QUE TUS RELACIONES CON MANOLITO NO ANDAN MUY BIEN, SUSANITA

¡AH! ¿YA TE FUE **ESE** CON EL CHISME? ¡QUÉ TIPO CHISMOSO!... ¡CLARO, NO ME EXTRAÑA!

327

¿CÓMO ME VA A EXTRAÑAR? SÍ ME CONTÓ LA DE LA LECHERÍA QUE EL PAPÁ DE MANOLITO ANDUVO EN UN ASUNTO MEDIO FEO, POR UNOS PESOS, EN EL CENTRO DE ALMACENEROS, Y A RAÍZ DE ESO TUVO UN LÍO CON LA MAMÁ DE MANOLITO. ¡Y YA SABEMOS LO QUE ES ESA SEÑORA!

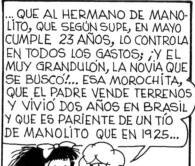

... QUE AL HERMANO DE MANOLITO, QUE SEGÚN SUPE, EN MAYO CUMPLE 23 AÑOS, LO CONTROLA EN TODOS LOS GASTOS; ¡Y EL MUY GRANDULÓN, LA NOVIA QUE SE BUSCÓ!... ESA MOROCHITA, QUE EL PADRE VENDE TERRENOS Y VIVIÓ DOS AÑOS EN BRASIL Y QUE ES PARIENTE DE UN TÍO DE MANOLITO QUE EN 1925...

¿CON QUIÉN ESTUVISTE, MAFALDA?

CON EL FBI

¡ZÁS! ¡AHÍ VIENE SUSANITA! DESDE QUE ANDA PELEADA CON MANOLITO, ESTAR CON ELLOS ES COMO ESTAR EN LA U.N.

328

HOLA, MAFALDA. ¿HAS OÍDO HABLAR DEL CORCHOANÁLISIS? ES COMO EL PSICOANÁLISIS, PERO SOLO PARA **AQUELLOS** QUE TIENEN CEREBRO DE CORCHO. ¿SABÉS? YO CONOZCO A **UNO** QUE DEBERÍA IR AL CORCHOANALISTA

¡VAYA! YO CREÍA QUE HOY HABÍA HUELGA DE IDIOTAS, PERO PARECE QUE SALIERON A TRABAJAR

AUNQUE DUDO QUE U THANT DEBA AGUANTAR LO QUE YO TENGO QUE AGUANTAR

¿QUÉ DICE AQUÍ, MANOLITO?

no sé

"NO SÉ"

¿NO? BUENO, NO ME EXTRAÑA, SIEMPRE PENSÉ QUE ERAS UN POQUITO BESTIA

¡HOLA!

¡SHHH!... EN VOZ BAJA, QUE TENGO UN ENFERMO EN CASA

¿ESTÁ ENFERMO TU PAPÁ?

NO

¿TU MAMÁ, ENTONCES?

TAMPOCO

372

¡ESA ES LA PREGUNTA MÁS ESTÚPIDA QUE HE OÍDO EN TODA MI VIDA, SUSANITA!

374

¡AH! ¿Y CUANDO A VOS SE TE DA POR PREGUNTAR POR QUÉ EL MUNDO TAL COSA Y POR QUÉ LA GUERRA TAL OTRA? ¿EHÉ?

¿ACASO SOLO VOS PODÉS PREGUNTAR? ¿ACASO SOS LA VEDETTE? ¿EHÉ? ¿ACASO NO PUEDO YO TENER **MI** PREGUNTA? ¿EHÉÉÉ?

¿CUÁL ES TU PREGUNTA, SUSANITA?

¿POR QUÉ EN ESTE PAÍS LOS OBREROS SON MOROCHOS POBRES Y NO RUBIOS, LINDOS Y CON AUTO, COMO EN NORTEAMÉRICA?

¡CHA-CHÁ'ÁNN♪
CHA-CHÁ'Á'Á'ÁNN...
♪ AQUÍ VIENE NADA MENOS QUE...

379

¡EL LLANERO SOLTERÓN!

¡SOLITARIO!

VIENE A SER LO MISMO, FELIPE; EN EL FONDO, TODO SOLTERÓN ES UN SOLITARIO

HAY GENTE CAPAZ DE ESTROPEARLE LA FANTASÍA AL MÁS PINTADO

¡ASÍ QUE OTRA VEZ SACASTE MALA NOTA POR NO HACER BIEN LOS DEBERES!... ¿CÓMO ES POSIBLE QUE SEAS TAN PICHIRUCHI, MANOLITO?

387

¿PICHIRUCHI YO? ¿QUIÉN PICHIRUCHI? ¿YO PICHIRUCHI?

¡MÁS PICHIRUCHI SERÁS VOS! ¿ENTENDÉS? ¡VOS SÍ QUE SOS PICHIRUCHI! ¡VOS SÍ QUE...

A PROPÓSITO, MAFALDA, ¿QUÉ QUIERE DECIR "PICHIRUCHI"?

¿CÓMO ERA ESA ESPECIE DE INSULTO QUE ME DIJISTE AYER, MAFALDA?

"PICHIRUCHI". ¿POR QUÉ?

¡AH!

PORQUE ES IDEAL PARA IR Y DECÍRSELO A SUSANITA. ¡YA VERÁ ESA!

HOLA, SUSANITA ¿QUERÉS QUE TE DIGA LO QUE SOS? ¿EHÉÉ? ¿QUERÉS?

¡DECILO! ¡A VER!... ¡DECILO!

¡SOS UNA MACHU PICCHU!

PERO ¿QUÉ DIABLOS SIGNIFICA ESA PALABRA "PICHIRUCHI"?

NO SÉ EXPLICÁRTELO. PICHIRUCHI PUEDE USARSE PARA DEFINIR MUCHAS COSAS

NO ENTIENDO CÓMO PODÉS USAR UNA PALABRA SIN SABER EXPLICAR QUÉ QUIERE DECIR. LO SIENTO EN EL ALMA, PERO NO ENTIENDO

¿LO SENTÍS DÓNDE?

EN EL ALMA

¿Y QUÉ ES EL ALMA, FELIPE? EXPLÍCAME

Y... PUEEES... BUENO, ¿EL ALMA?... ES ESA COSA QUE ES UNO..., PERO NO ES UNO, SINO QUE... ¡CLARO!... ES... ¿NO? ES... MÁS BIEN... ¡EN FIN!... ES... ES... ES...

¡ESTUVISTE CLARÍSIMO, FELIPE! ¡CLARÍSIMO!

HE QUEDADO COMO UN VULGAR PICHIRUCHI

¿ADÓNDE VAS, MAFALDA? ¡EL DESAYUNO!

DESPUÉS

¡CHUIIC!

¡¡FELIZ CUMPLEAÑOS, CHE, TIERRA PATRIA!!

¡ME CONTARON UN CUENTO BUENÍSIMO! RESULTA QUE EL CAPITÁN PREGUNTA AL RECLUTA: "¿SABE NADAR?". "¡SÍ, MI CAPITÁN!" RESPONDE EL RECLUTA; ENTONCES...

¡AH, SÍ! ¡LO CONOZCO! LUEGO EL CAPITÁN LE PREGUNTA: "¿Y DÓNDE APRENDIÓ?". "EN EL AGUA", CONTESTA EL OTRO. ¿ES ESE, FELIPE? ¿EHÉ? ¿ES ESE?¡ES ESE!¿NO? ¿ES ESE? ¿EHÉ?

¡¡TE REQUETE-CONTRAODIO, SUSANITA!!

Y AL FINAL, NO NOS ENTERAMOS SI ERA O NO ESE

¡HOY ESTOY CON UN HUMOR DE LOS MIL DEMONIOS!

SIN EMBARGO, PARECÉS MUY CONTENTA, SUSANITA

404

ES QUE NO QUIERO QUE NADIE SE DE CUENTA QUE ESTOY DE MAL HUMOR

¡ENTONCES NO TENDRÍAS QUE DECIRLO!

ESO SERÍA SER HIPÓCRITA. ME EXTRAÑA QUE DEFENDÁS LA HIPOCRESÍA, MAFALDA

ALGÚN DÍA ME SENTARÉ A ANALIZAR QUIÉN ME ENFERMA MÁS: SI SUSANITA O LA SOPA

413

?

¿A QUE YA SE HA CORRIDO LA VOZ DE QUE NO ME GUSTAN LOS BEATLES?...

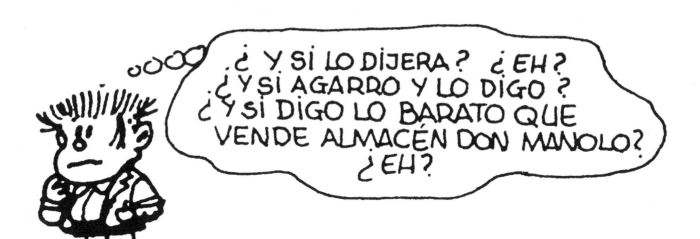

44

¡MANOLITO ESTÁ EN CAMA CON GRIPE, DE ACUERDO! PERO... ¿PARA QUÉ VAS A VISITARLO CON ESE CASCO ESPACIAL?

PARA EVITAR EL CONTAGIO

¿QUÉ PASA SI VOY SIN CASCO Y ME CONTAGIA?

¡SI TE CONTAGIA, MALA SUERTE! ¡LA AMISTAD EXIGE CIERTOS SACRIFICIOS!

NO VEO QUE TENGA NADA DE MALO DARLES UN TOQUE MODERNO A LOS SACRIFICIOS

¡LO CONTENTOS QUE SE VAN A PONER FELIPE, SUSANITA Y MAFALDA CUANDO ME VEAN LEVANTADO!

¡AMIGOS!...¡ME HE SACADO ESA MALDITA GRIPE DE ENCIMA!... ¿DÓNDE ESTÁN TODOS?

¿CUÁNTA GENTE ENGRIPADA COMO NOSOTROS CREÉS QUE HABRÁ EN EL MUNDO, MAFALDA?

475

NO SÉ SUPONGO QUE MUCHA. ¿POR QUÉ?

Y... QUÉ SÉ YO... SIEMPRE CONSUELA UN POCO SABER QUE UNO NO ESTÁ SOLO, ¿NO TE PARECE?

SÍ; AUNQUE FRANCAMENTE, EN ESTE CASO NO SÉ PARA QUÉ CUERNOS PUEDE SERVIRNOS EL SINDICALISMO

A MÍ, LO QUE ME GUSTA DE LA GRIPE ES **NO** TENER QUE IR A LA ESCUELA

476

QUÉ QUERÉS QUE TE DIGA, FELIPE...

YO PREFIERO IR A LA ESCUELA, ESTUDIAR Y HACER DEBERES...

...EN LUGAR DE TENER QUE SOBRELLEVAR ESTA INCULTURA A VIRUS

INDUDABLEMENTE, LA PRIMAVERA ES LO MÁS PUBLICITARIO QUE TIENE LA VIDA

¡MMMMMMMHHH! YA SE RESPIRA LA PRIMAVERA EN EL AIRE, MANOLITO. ¿SENTÍS?

?

¡SNIIIIIIIIF!

NO

LA VERDAD ES QUE MANOLITO TIENE UNA CARA HONESTA, ¡SÍ, SEÑOR! CUANDO LO VEA SE LO VOY A DECIR

536

PORQUE MIRÁ QUE HAY CARAS HIPÓCRITAS, ¿EH? LA DE MANOLITO, EN CAMBIO, ES UNA CARA FRANCA, ABIERTA, SINCERA...

... QUE DICE SIN TAPUJOS LO BESTIA QUE ES...

¡TIC!

539

... SU DESAPARICIÓN PRIVA A LA PANTALLA DE UNA DE SUS MÁS GRANDES FIGURAS...

¿QUIÉN?

... CUYO ARTE INIGUALABLE NO OLVIDAREMOS JAMÁS

PERO ¿QUIÉN? ¿QUIÉN?

Y POR HOY, AMIGOS, NADA MÁS. SERÁ HASTA MAÑANA

¡Y NO DIJO!

¡DIOS MÍO!...

¡QUE NO HAYA MUERTO EL PÁJARO LOCO!

¡NUNCA *EL LLANERO* SE SINTIÓ MÁS *SOLITARIO!*

FELIPE ME HA ENTUSIASMADO CON ESTO DE LAS PALABRAS CRUZADAS. ¿ME AYUDAN EN MI PRIMERA EXPERIENCIA?

POR SUPUESTO

BUENO, PRIMERO LAS HORIZONTALES. A VER...

1. SERES FABULOSOS QUE...

¿FABULOSOS? ¡LOS BEATLES!

¡PERO ¿CÓMO ES POSIBLE QUE NO LE HAYAN DADO TODAVÍA EL OSCAR AL PÁJARO LOCO?!

¿A CUÁNTO ESTÁ HOY LA LECHUGA, MIGUELITO?

¡Y PENSAR QUE EN ESTE MISMO MOMENTO, EN ALGÚN LUGAR DEL MUNDO, SE ESTÁN DISPARANDO BALAS QUE NO VAN A PEGARLE A NADIE! ¡QUÉ DESPERDICIO!

¡Y AHORA, CON USTEDES, EL FAMOSO TROMPETISTA DE COLOR!...

TUET-TUT-TUT TÚTÚÚÚ-TUT- TUTÚTUT-TUT- TUEET-TUEET- TUT-TUUUTUT TÚUUUUUUT TUT

¡BASTA, CON ESA TROMPETITA!

¿EL JAZZ TE ENTRISTECE?

VOS, QUE SIEMPRE ANDÁS DALE QUE DALE CON EL ALMACÉN DE TU PAPÁ, LA PLATA Y LOS NEGOCIOS, ESCUCHÁ ESTO QUE VOY A LEERTE

"EL DINERO NO HACE LA FELICIDAD"

SÍ..., SI ESO YA LO SÉ...

...PERO A MÍ LO QUE ME ENTUSIASMA ES LA MAÑA QUE SE DA PARA IMITARLA

CUANDO SEA GRANDE VOY A CASARME CON UN INDUSTRIAL QUE TENGA MUCHOS, PERO MUCHOS MILLONES

PERO LUEGO, EN UN VIAJE POR NEGOCIOS, ÉL SE ESTRELLARÁ CON SU AVIÓN PARTICULAR Y YO QUEDARÉ VIUDA... ¡DIOS MÍO!

¡BUÁÁÁÁ!...

¡SÑÍF!

AY-AY-AY... ¡QUÉ VIDA ÉSTA!

AQUÍ DICE QUE UN CONFLICTO NUCLEAR PODRÍA PROVOCAR LA MUERTE DE UNOS 700 MILLONES DE PERSONAS

¿700 MILLONES DE PERSONAS TODAS JUNTAS MUERTAS AL MISMO TIEMPO?

ASÍ PARECE

¡QUÉ ASCO! ¡EN SEMEJANTE PROMISCUIDAD, QUIÉN SABE QUÉ GENTUZA LE TOCA A UNO COMO COMPAÑERA DE MASACRE!

ESTA MAÑANA LA MAESTRA CREYÓ QUE ERA YO LA QUE ESTABA CONVERSANDO EN CLASE Y ME RETÓ

LUEGO, AL MEDIODÍA LLEGUÉ A CASA Y ¡ZÁS!... ¡MI MAMÁ HABÍA HECHO SOPA!

A LA TARDE VINO SUSANITA Y CON EL BRAZO DEL TOCADISCOS ME RAYÓ EL LONG-PLAY DE LOS BEATLES

REALMENTE..., HA SIDO UNO DE ESOS DÍAS EN QUE LO MALO DE UNO SON LOS DEMÁS

HABÍA UN NO SÉ QUÉ DE ENCÍCLICA PAPAL EN ESA MIRADA

TOMÁ, MAFALDA, MEDIO TURRÓN PARA MÍ, MEDIO PARA VOS

OH, GRACIAS, SUSANITA

¡CROCK! ¡CROMPF! ¡GULP!

CROC CRUC

¡AAAAH!

CRUP CROK

CRAC CRUCH

¡MALDITA SEA MI BONDAD!

QUISIERA PEDIRTE CONSEJO, MANOLITO. ANDO CON UN PROBLEMA

¿ALGO GRAVE, SUSANITA?

¿GRAVE? NO, NO, SI EN REALIDAD ES UN PROBLEMA MUY ESTÚPIDO

POR ESO PENSÉ QUE VOS PODÉS ENFOCARLO MEJOR QUE NADIE. RESULTA QUE...

AQUÍ, ESO ES; AHORA MIRÁ QUÉ DIVERTIDO CÓMO SE VE UNO REFLEJADO EN ESTA TETERA, MIGUELITO

¡BUUAAA!...

HOLA, MIGUELITO, ¡QUÉ LINDO QUE ESTÁS!

Y, ADEMÁS, TODO BIEN LIMPITO; OLÉ, QUÉ LIMPITO, ¿SENTÍS?

MMMMHAJHÁ

HE DECIDIDO SER UN BUEN INTENDENTE DE MI PERSONA

RESULTA QUE LA BESTIA ERA **YO** Y NO MANOLITO

¡YO LA BRUTA! ¿TE DAS CUENTA? ¡NO **ÉL**, SINO **YO**!

¡YO, DIOS MÍO, SACARME UN **CERO** EN LA ESCUELA!

QUE DESPUÉS NO ERA LA ESCUELA, SINO UN BARCO, PORQUE TAMBIÉN HABÍA MARINEROS EN MI SUEÑO Y...

QUISIERA UNOS CARAMELOS, MANOLITO, PERO NO TENGO PLATA, ¿PODRÍAS FIÁRMELOS?

HAGAMOS UNA COSA, MIGUELITO: VOS TODOS LOS DÍAS LEÉ EL DIARIO

Y EL DÍA QUE VEAS QUE NO ATACARON UNA EMBAJADA EN NINGUNA PARTE, VENÍ QUE TE FIARÉ CON MUCHO GUSTO, ¿SABÉS?

GRACIAS, MANOLITO, SOS UN AMIGO

EL POBRE VIVE MENOS ENTERADO DE LO QUE YO CREÍA

A VECES, DE NOCHE EN LA CAMA, ME PONGO A PENSAR..., Y ES CURIOSO...

SIENTO, POR EJEMPLO QUE, COMO TODO EL MUNDO, YO TENGO MIS COSAS BUENAS Y MIS COSAS MALAS

Y QUE NO SOY NI MEJOR NI PEOR QUE LOS DEMÁS, SINO COMO TODOS..., ASÍ, LISA Y LLANAMENTE COMO EL RESTO DE LA HUMANIDAD

¿NO HAS TENIDO NUNCA ESA **ESPANTOSA** SENSACIÓN?

¡QUÉ!... ¿LES HA DADO POR HACERSE LOS SIMBÓLICOS?

HAY UNA COSA QUE NO ENTIENDO...

¿POR QUÉ NO NOS PONEMOS DE ACUERDO **TODOS** LOS HABITANTES DEL PLANETA PARA VIVIR FELICES?

PORQUE SOMOS CUATRO MIL MILLONES, MIGUELITO, JAMÁS PODREMOS PONERNOS **TODOS** DE ACUERDO

HAY CUATRO MIL MILLONES DE COSAS QUE NO ENTIENDO...

¡VENGAN A VER! ¡MANOLITO ESTÁ DE NOVIO!

¡DE NOVIO!... ¡BAH, BAH, BAH!

MIRÁ, FELIPE; AQUÍ, EN ESTA SIMPLE HOJA DE DIARIO, ESTÁN IMPRESAS LAS DOS CARAS OPUESTAS DE LA VIDA

DE UN LADO, ESTE MÉDICO QUE TRABAJA EN BIEN DE LA HUMANIDAD...

El Dr. Ricardo P. Deis, afamado investigador científico se encuentra abocado al estudio

...DEL OTRO, ESTE DELINCUENTE, ¡QUÉ TE PARECE!...

QUE LA VIDA DEBIERA VENIR IMPRESA DE UN SOLO LADO

80

ANOCHE POR TV HABLÓ UN SOCIÓLOGO, Y DIJO QUE LA HUMANIDAD VIVE LLENA DE DUDAS SOBRE SU FUTURO

892

¡CUÁNTA RAZÓN TIENE ESE HOMBRE!

YO, POR EJEMPLO, VIVO DUDANDO SI CUANDO ME CASE DEBO SALUDAR A LAS AMISTADES EN EL ATRIO, O INVITARLAS LUEGO A LA FIESTA EN MI CASA

¿NO DIJO NADA SOBRE ESO?

NO, EL MUY TORPE NO TOCÓ EL TEMA

NO ES QUE QUIERA ECHARTE, MIGUELITO, PERO ESTOY HACIENDO LOS DEBERES

BUENO, YO ME QUEDO AQUÍ SENTADITO SIN MOLESTAR

895

AYER OÍ POR RADIO NO SÉ QUÉ DE BANCOS DE SANGRE. ¿SABÍAS QUE HAY BANCOS DE SANGRE?

¡SÍ, SABÍA, SÍ!

ME PREGUNTO CÓMO SERÁN LOS CHEQUES DE LOS BANCOS ESOS

¡MORCILLAS, MIGUELITO!... ¡ESOS SON LOS CHEQUES DE LOS BANCOS DE SANGRE!

LOS QUE TENEMOS TACTO NOS DAMOS CUENTA CUÁNDO MOLESTAMOS

81

...O MEJOR PELIRROJO, ASÍ MIS PRIMAS SE MUEREN DE ENVIDIA AL VERME CON UN MARIDO TAN POCO COMÚN

ES INÚTIL, NADIE PARECE ADVERTIR ESPONTÁNEAMENTE QUE YO SOY UN BUEN TIPO

"TRAS DISCUTIR MATA A SU CUÑADO"

"UNA MADRE ENVENENÓ A SUS DOS HIJITOS"

"EL ASESINO DE LA ANCIANA CONFIESA SU CRIMEN"

¡SI VIERAS!... ESTUVE LEYENDO LO BUENA QUE SOY

CUANDO LEO EN LAS NOTICIAS POLICIALES LA DE BARBARIDADES QUE HACEN OTROS..., ¡HAY QUE VER LO BUENA QUE ME SIENTO **YO!**

MUY MAL, SUSANITA. NUNCA HAY QUE COMPARARSE CON LOS QUE SON PEOR QUE UNO, SINO CON LOS QUE SON MEJOR

¡VAMOS!... ¿QUIÉN ES CAPAZ DE HACERLE, SEMEJANTE PORQUERÍA A SU PROPIA PERSONALIDAD?

¡A VECES SUSANITA SE VIENE CON CADA COSA!

¿POR QUÉ? ¿QUÉ TE DIJO?

952

QUE CUANDO LEE EN LAS NOTICIAS POLICIALES LAS BARBARIDADES QUE HACEN OTROS, HAY QUE VER LO BUENA QUE SE SIENTE ELLA

¡SÓLO A UN ZANAHORIA PUEDE OCURRÍRSELE PENSAR ESA ESTUPID......

ME HE DADO CUENTA QUE SOY FINA, AGRADABLE Y SIMPÁTICA

957

Y NO LO DIGO POR FALSA MODESTIA, NO

FUE GRACIAS A MI HUMILDE HONESTIDAD QUE LLEGUÉ A DESCUBRIR CÓMO SOY REALMENTE

NADIE ES BUEN SHERLOCK HOLMES DE SÍ MISMO

AH, ¿TENÉS PASTILLAS, SUSANITA?

MSÍ

EH..., SON UN REMEDIO, ¿SABÉS?... ME LAS RECETÓ EL DR. PORQUE ANDO CON QUÉ SÉ YO

¿ALGUNA INSUFICIENCIA EN LAS GLÁNDULAS DEL SISTEMA CONVIDATORIO?

MIRÁ, MAFALDA, ¿NO TE RESULTA MARAVILLOSO ESTAR **AQUÍ** EN WALL STREET Y VER PASAR POTENTADOS TAN FINOS Y ELEGANTES?

¡ÑÚ-ÑÚ!

LOS CHEQUES DE TUS BURLAS NO TIENEN FONDOS EN EL BANCO DE MI ÁNIMO

BUENO, ¿Y CÓMO HACE UNO PARA PEGARSE ESTO EN EL ALMA?

A MÍ TAMBIÉN ME LASTIMA EL ALMA VER GENTE POBRE, ¡CREÉME!

POR ESO CUANDO SEAMOS SEÑORAS NOS ASOCIAREMOS A UNA FUNDACIÓN DE AYUDA AL DESVALIDO

¡Y ORGANIZAREMOS BANQUETES EN LOS QUE HABRÁ POLLO Y PAVO Y LECHÓN Y TODO ESO!... ASÍ RECAUDAREMOS FONDOS...

... PARA PODER COMPRAR A LOS POBRES HARINA Y SÉMOLA Y FIDEOS Y ESAS PORQUERÍAS QUE COMEN ELLOS

92

...ASÍ LE CONTÓ A MI MAMÁ LA GORDITA DE LA PANADERÍA QUE ANDA CON EL HIJO DE LA SEÑORA DEL TERCERO B, ESE QUE ESTUDIA DE NOCHE PORQUE DE DÍA TRABAJA PARA...

...AYUDAR EN LA CASA, ¡POBRE!, QUE SI AL PADRE NO LE GUSTARA TANTO EL HIPÓDROMO NO TENDRÍA NECESIDAD NI LE DEBERÍAN TODO LO QUE LE DEBEN AL CARNICERO, QUE ACABA DE...

...COMPRARSE UN TAXI, EL CARNICERO, MIRÁ VOS, SE LO MANEJA EL CUÑADO CASADO CON LA MODISTA QUE ANTES NOVIABA CON EL PELIRROJO AQUEL QUE TUVO UN BUEN LÍO CON.

JAQUE, MATE, SUSANITA

¿POR QUÉ ESTA MALA PATA? ¿POR QUÉ?

¡MI PAPÁ TODOS LOS DÍAS LO MISMO!...

"BUEN DÍA - HASTA LUEGO" "HOLA, ¡PUF, QUÉ CANSANCIO! ¿ESTÁ LA CENA? ¡AAAH!... ¡POR FIN LA CAMA! ¡BUÉH!... HASTA MAÑANA"

Y MI MAMÁ: "¡NO RAYES EL PARQUET! ¿OTRA VEZ CON LOS ZAPATOS SOBRE EL SILLÓN? ¡NO DESTROCES LA ROPA! ¡A VER ESAS OREJAS!"

FRANCAMENTE NO SÉ QUÉ HARÍA YO SIN MÍ

¡MIRÁ SI JUSTO A MÍ, ESPOSA COMPRENSIVA, BUENA Y TOLERANTE, ME TOCA UN DESASTRE DE MARIDO!

¡DECÍME! ¿TENÉS IDEA DE CON QUIÉN VAS A CASARTE?

NO

¡BUENO, ENTONCES NO JOROBES!

¡ME MUERO POR CONOCER A ESE MISERABLE!

tic-tic-tic-tic-tic-tic-tic-tic-tic-

HOLA, ¿NOTAN ALGO?

SÍ, QUE **NO ES** AUTOMÁTICO, SUMERGIBLE, LUMINOSO NI CON CALENDARIO COMO EL DE MI PAPÁ

¡iiiiúúújuh, MAMÁ!
¡uiííjuuuujú!

¡YÚÚPiiiiH!!
¡YUiííjiiiiii!

¿QUÉ DIABLOS HACÉS, MIGUELITO?; NO ENTIENDO!

VOS PORQUE TENÉS UN HERMANITO, Y ENTRE DOS..., ¡CLARO!

PERO AQUÍ TENGO QUE APECHUGAR YO SOLITO CON ESO DE SER LA ALEGRÍA DEL HOGAR

NO TE PREOCUPES, FELIPE; YO TE ROMPÍ EL ARCO PERO VOY A COMPRARTE OTRO IGUAL

NO, MANOLITO, NUNCA PODRÍAS COMPRARME OTRO IGUAL

¡TE DIGO QUE IGUAL! ¿TAN CARO ES, ACASO?

NO, NO ES CARO, PERO ESTE ME LO COMPRÓ MI PAPÁ Y SI VOS VAS Y ME COMPRÁS OTRO..., NO SÉ, YA NO SERÍA LO MISMO, ¿ENTENDÉS?

NI JOTA. ¿ES QUE A ÉL LE HACEN UN DESCUENTO O ALGO ASÍ?

¡ESTÁS EQUIVOCADO, FELIPE; NO SOY NINGUNA PESIMISTA DETRACTORA DE LA HUMANIDAD!

¡Y ENTIENDO MUY BIEN ESO QUE VOS DECÍS: QUE CADA CUAL, POR POCO QUE HAGA, PONE SU GRANITO DE ARENA!

LO QUE NO ENTIENDO ES ESA MANÍA DE IR A PONERLO JUSTO DENTRO DEL OJO DEL PRÓJIMO

HOLA, MANOLITO, RESULTA QUE EMPEZAMOS A HABLAR DE VOS Y TUS FUTUROS SUPERMERCADOS... ¡Y VENIMOS A ADMIRARTE!

¿A MÍ?

¿POR QUÉ?

PORQUE DE TODOS NOSOTROS SOS EL ÚNICO QUE SABE POSITIVAMENTE LO QUE QUIERE ¡Y NOS PARECÉS FRANCAMENTE ADMIRABLE!

¡QUE ME EMOCIONAN, ESTÚPIDOS!

CUANDO YO SEA GRANDE Y TRABAJE, SI LLEGA FIN DE MES Y NO ME PAGAN, SABÉS LO QUE HAGO, ¿NO?

NO

1227

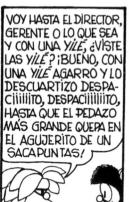

VOY HASTA EL DIRECTOR, GERENTE O LO QUE SEA Y CON UNA *YILÉ*, ¿VISTE LAS *YILÉ*? ¡BUENO, CON UNA *YILÉ* AGARRO Y LO DESCUARTIZO DESPACIiiiiiito, DESPACIiiiiiito, HASTA QUE EL PEDAZO MÁS GRANDE QUEPA EN EL AGUJERITO DE UN SACAPUNTAS!

TE CREO, MIGUELITO

CADA CUAL TIENE SUS PROBLEMAS; HOY A MANOLITO LA MAESTRA LE TOMÓ LA LECCIÓN Y LE PUSO UN CERO

1230

¿TANTO LE PUSO? ¡ESA MAESTRA ESTÁ LOCA!

¡MIRÁ QUE PONERTE UN CERO!... ¡TU MAESTRA ESTÁ LOCA!

AMIGOS ASÍ LO RECONCILIAN A UNO CON LA VIDA

 NO, FELIPE NO QUIERE SALIR A JUGAR NI VER A NADIE. DICE QUE ESTÁ ANGUSTIADO PORQUE LE COMIENZAN LAS CLASES

 ¿LE COMIENZAN? ¡DÍGALE AL ANGUSTIADO ESE QUE LAS CLASES NO LE COMIENZAN A ÉL SOLO SINO A TODOS! ¡QUE PIENSE TAMBIÉN EN LOS DEMÁS!

 DICE QUE PENSAR EN LOS DEMÁS NO, QUE SU ANGUSTIA NO ES UN CONVENTILLO

¡HOLA! ¡QUÉ CHIQUI-
TITA SOS! ¿CÓMO
TE LLAMÁS?

LIBERTAD

¿SACASTE YA TU CONCLU-
SIÓN ESTÚPIDA? TODO
EL MUNDO SACA SU CON-
CLUSIÓN ESTÚPIDA
CUANDO ME CONOCE

¿ETA NENA?

ESTA NENA ES
LIBERTAD, GUILLE

¡Y TENGO BASTANTES
MÁS AÑOS QUE VOS!
¿ALGUNA OBJECIÓN
A MI TAMAÑO?

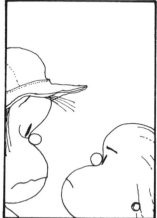

¡MEJOR ASÍ! ¡LOS BAJITOS
NO TENEMOS POR QUÉ
ANDAR AGUANTÁNDOLES
A LOS DEMÁS SU
COMPLEJO DE ALTURA!

ESTOY ABURRIDA, ¿VAMOS A JUGAR A LO DE MIGUELITO?

VAMOS, PERO... ¡NO SÉ!

HACE UN RATO LO VI Y ME DIJO, QUE HOY SE LEVANTÓ PEDANTE; QUE LE DABA MUCHA RABIA SENTIRSE PEDANTE PERO QUE NO PODÍA EVITARLO

EN UNA DE ESAS SE LE PASÓ, QUIÉN TE DICE...

HOLA, MIGUELITO, ¿CÓMO ESTÁS?

CONVENCIDO DE QUE SI YO NO LLEGO A NACER..., ¡QUÉ GOLPE PARA LA HUMANIDAD! ¿EHÉ?

¡BANG!

¡QUÉ SABIA ES LA NATURALEZA! SI ESE PAJARITO CAÍA MUERTO, YO NO PEGABA UN OJO EN TRES MESES

111

DECIME, ¿TU AMIGO FELIPE ES UNO CON EL PELO TODO ASÍ COMO HOJAS DE LECHUGA?

NO, ESE ES MIGUELITO

1326

AH, YO CREÍA QUE FELIPE ERA EL DEL PELO COMO LECHUGA Y LOS DIENTES ASÍ

SÍ, EL DE LOS DIENTES ASÍ **ES** FELIPE

¡Y BUENO, ESE DIGO YO; UNO QUE TIENE ALMACÉN!

¡PERO NO!

¡PERO!... ¡MIRÁ QUÉ JUSTO: AQUEL QUE VIENE ALLÁ ES FELIPE!

HOLA, NO SÉ SI VOY A ANDAR BIEN CON VOS, FELIPE; A MÍ ME GUSTA LA GENTE SIMPLE

ENTONCES, SEÑORA, ¿NADA MÁS?

NADA MÁS, MANOLITO

1328

PERO DEJÁ, SÍ YO PUEDO...

FALTARÍA MÁS, UNA CLIENTA COMO UD.... ¿Y SU ESPOSO? BIEN, ¿NO? HACE TIEMPO QUE NO LO VEO

¡YO TAMPOCO! ¡SE SUPONE QUE BIEN, SÍ!

¡CON *FRIALDAD EMPRESARIA*! ¿CUÁNDO CUERNOS VOY A APRENDER QUE A LOS CLIENTES HAY QUE TRATARLOS CON *FRIALDAD EMPRESARIA*?

114

HAY QUE RECONOCER QUE PARA PONER PRECIOS ESTE DEGENERADO TIE- NE EL CORAZÓN UNOS PESOS MÁS BLANDO QUE NOSOTROS

¡NECESITO MI LÁPIZ, GUILLE, NO SEAS ASÍ! ¡MIRÁ QUE TE LO QUITO! ¿EH?

¡Y VOZ MIDÁ QUE TE LO DOMPO! ¿EH? ¡MIDÁ QUE LO VOY A DOMPED!

¡AH! ¿QUERÉS SER MALO?

¡ZÍ!

¡PERO TONTO, SI YA NO DEBEN DE QUEDAR VACANTES!...

POD FAVOD, ¿LE DAZ CUEDDA A MI ÓDNIBUZ, MANODITO?

CRIiiiic – CRiiiic
CRIiiiic – CRiiiic
CRIiiiic – CRiiiic
CRIiiiic-CRiiiic
¡CRACK!

¡OOOY!... ¡EL TROMPITO, GUILLE!... ¡MIRÁ EL TROMPITO!

SI TU HERMANO NO APRENDE A VALORAR LAS PEQUEÑAS GANANCIAS DE LAS GRANDES PÉRDIDAS, VA A SUFRIR MUCHO EN ESTE MUNDO, ¿EH?

JÁUREGUI

¡PRESENTE!

LICASTRO

¡PRESENTE!

NARDONE

¡PRESENTE!

PITTI

CLAP CLAP CLAP CLAP CLAP

¡SÍ, YA SÉ, PERO QUÉ QUERÉS!... ¡TANTA INESTABILIDAD, TANTA INESTABILIDAD... AL FINAL UNO LE TOMA CARIÑO, ¡QUÉ JOROBAR!

BIEN, SEÑALA EL RÍO NEUQUÉN

¿CON ESTE FRESQUETE? ¡VAMOS!...

¡¡SOY TU MAESTRA Y DEBES RESPETARME!!

SÍ, COMO A UNA SEGUNDA MADRE, LO SÉ, PERO LA PRIMERA TAMBIÉN TIENE MALA PATA CON ESO

"BIENAVENTURADOS LOS POBRES, PORQUE DE ELLOS SERÁ EL REINO DE LOS CIELOS"

COMPRENSIÓN Y RESPETO, ESO ES LO IMPORTANTE PARA CONVIVIR CON LOS DEMÁS, Y SOBRE TODO, ¿SABÉS QUÉ?, NO CREER QUE UNO ES MEJOR QUE NADIE

PORQUE ASÍ COMO HAY MUCHA GENTE QUE A MÍ PUEDE NO GUSTARME...

... ES LÓGICO SUPONER QUE TAMBIÉN YO PUEDO NO GUSTARLES A UN MONTÓN DE IMBÉCILES, ¿NO?

HOLA, MAFALD...

¡OH-OH! SIENTO COMO SI...

$

ORIENTACIÓN VOCACIONAL, QUE LE DICEN

¿NO ME OÍSTE, FELIPE?... ¡JAQUE!... ¡JAQUE MATE!

¿MMMH?... ¡AH!... ¿YA? ¡BUEH!... ¡A SIETE Y MEDIO PAGO!

¡ES QUE A MÍ SE ME VALORA CUANDO SE ME CONOCE INTERIORMENTE!

HOLA, MIGUELITO. ¿QUÉ HACÉS MIRANDO ESE CHARCO?

ESTABA DEJANDO MI IMAGEN EN ESTA AGUA

ASÍ, CUANDO SE EVAPORE, CADA GOTITA LLEVARÁ UN POCO DE MÍ A TODO EL AIRE DE LA CIUDAD

CUANDO MAÑANA EN EL NOTICIOSO DIGAN EL PORCENTAJE DE HUMEDAD, YA SABÉS DE QUIÉN ESTARÁN HABLANDO

¡CUANDO SEA GRANDE VOY A SER JEFE! ¡NO SÉ DE QUÉ, PERO VOY A SER JEFE!

¡PERMISO! ¿EH?

¿EH? ¡AH! ¡SÍ, SÍ, YA!

¡EN FIN!...

¡LOS CUENTOS PARA CHICOS NO ESTÁN ESCRITOS POR CHICOS, SINO POR GENTE GRANDE!

¡¡ES UNA VERGÜENZA!!

¡TAMPOCO LOS JUGUETES, NI LAS GOLOSINAS, NI LA ROPA NI NADA DE LO QUE ES PARA NOSOTROS ESTÁ HECHO POR NOSOTROS, SINO POR GENTE GRANDE!

¡COMERCIAN CON NOSOTROS!

¿POR QUÉ TENEMOS QUE SEGUIR AGUANTANDO ESTO?

¡ESO! ¿POR QUÉ?

SENCILLAMENTE PORQUE TAMPOCO NOSOTROS ESTAMOS HECHOS POR NOSOTROS, SINO POR GENTE GRANDE ¡PUCHA DIGO!...

DEMASIADO SINCERO PARA SER LÍDER

LOS DIRIGENTES POLÍTICOS PASAN SU VIDA PENDIENTES UNOS DE OTROS

SE JUNTAN, SE PELEAN, SE SEPARAN, VUELVEN A JUNTARSE...

SI ESO NO ES AMOR, NO SÉ QUÉ ES

¿ME ALCANZAS LA GOMA, GUILLE?

YO NO SOY TU SIDVIENTE

NO TE LO PIDO COMO A UN SIRVIENTE, SINO COMO A UN AMIGO

GRACIAS, INGENUOTE

FRANCAMENTE, NO ME EXPLICO CÓMO PUEDE HABER TIPOS CAPACES DE SUBIRSE A UN BOMBARDERO Y LIQUIDAR A MILES DE PERSONAS DE UN SOLO SAQUE

OJALÁ TODO EL MUNDO PENSARA COMO VOS, MIGUELITO

PORQUE HACERLO CON UN FUSIL..., ¡BUENO! AL MENOS TIENE EL MÉRITO DE LA COSA ARTESANAL

A MÍ NUNCA VA A PASADME NADA MALO PODQUE VOS SIEMPRE VAS A PROTEGEDME, ¿VERDAD, PAPÁ?

¡CLARO, HIJITO!

A VECES TENÉS RAZÓN EN DECIR QUE EN ESTE MUNDO HAY INJUSTICIAS, MAFALDA

MIENTRAS OTRAS AUTOESTIMAS LLEVAN UNA VIDA REGALADA, LA AUTOESTIMA DE MANOLITO SUDANDO LA GOTA GORDA PARA TRATAR DE AUTOESTIMAR **ESTO**. ¿HAY DERECHO?

BUENO, ¿QUÉ LES PASA? VIVIMOS EN UN PAÍS EN EL QUE HAY LIBERTAD DE CULTOS, ¿NO?

¿VOS QUÉ OPINÁS DEL AMOR, MANOLITO?

¿DEL AMOR A QUÉ?

¡PERO NO!... ¡NO TE HABLO DEL AMOR A QUÉ, SINO A QUIÉN! ¡NUNCA SENTISTE AMOR POR ALGUNA CHICA?

¡JOROBAR!... ¿AMOR? NO SÉ, HABÍA EN LA ESCUELA UNA REGORDETA SIMPATICONA, PERO NO SÉ... ¡JOROBAR!... ¡QUÉ SÉ YO SI ESO ERA AMOR O QUÉ!

ES MUY FÁCIL: SI CUANDO LA VEÍAS TE SENTÍAS COMO FLOTANDO ENTRE TULES MIENTRAS OÍAS MÚSICA DE VIOLINES, ¡ESO ERA AMOR, MANOLITO! ¡AMOR!

ENTONCES NO DEBÍA SER, PORQUE LA COSA ERA COMO COLUMPIARME EN UNA HAMACA DE LONETA MIENTRAS LE TIRABA CASCOTAZOS A UN TAMBOR

¡ÁNIMO, QUE ESTE QUEDÓ ASÍ PORQUE HAY QUE VER LAS QUE TUVO QUE PASAR, PERO VAS A VER QUE A VOS TE VA A IR MEJOR!

REZAR NO SABÉS, ¿NO?

CUANDO UNO ESTÁ EN UN DILEMA, LO MEJOR ES PEDIR CONSEJO A LOS AMIGOS

SI YO FUERA VOS, LO QUE HARÍA ES

YO EN TU LUGAR NO DEJARÍA DE

YO QUE VOS, AGARRARÍA Y CA

AL FINAL NO LOGRÉ ENTERARME QUE CUERNOS HARÍA YO QUE YO, EN MI LUGAR, SI YO FUERA YO

143

BUEN DÍA, MANOLITO. QUISIERA UN PAN DE MANTEC... ⓦ ¡EH, MANOLITO, BUEN DÍA, DIJE!

¡EH, MANOLITO!

¡MANOLITO!

¿EH? ¡AH, HOLA!

¿QUÉ CUERNOS TE PASA?

NADA, ES QUE CADA VEZ QUE ME PONGO A MIRAR LA LISTA DE PRECIOS... NO SÉ..

ME QUEDO RECORDANDO, ¡PENSAR QUE YO A ESTOS PRECIOS LOS CONOCÍ DE PEQUEÑOS, Y AHORA VERLOS YA TAN CRECIDOS!... ¡¿QUÉ QUERÉS?! ¡ME EMOCIONA!

JAQUE MATE, SUSANITA

"¡TE HICE MORDER EL POLVO DE LA DERROT..."

NO, ESPERÁ, ESE ERA POR SI YO...

"ME GANASTE, SÍ. ¿Y CON ESO, QUÉ? ¿ES MÉRITO GANARLE A QUIEN, COMO YO, JUEGA CON LA SANA DESPREOCUPACIÓN DE NO ALIMENTAR EL BAJO APETITO DEL FUGAZ TRIUNFO, GERMINADOR DE ENGAÑOSAS VANIDADES QUE

Joaquín Lavado nació el 17 de julio de 1932 en Mendoza (Argentina) en el seno de una familia de emigrantes andaluces. Descubrió su vocación como dibujante a los tres años. Por esas fechas ya lo empezaron a llamar **Quino**. En 1954 publica su primera página de chistes en el semanario bonaerense *Esto Es*. En 1964, su personaje Mafalda comienza a aparecer con regularidad en el semanario *Primera Plana*. El éxito de sus historietas le brinda la oportunidad de publicar en el diario nacional *El Mundo* y será el detonante del *boom* editorial que se extenderá por todos los países de lengua castellana. Tras la desaparición de *El Mundo* y un año de ausencia, Mafalda regresa a la prensa en 1968 gracias al semanario *Siete Días* y en 1970 llega a España de la mano de Esther Tusquets y de la editorial Lumen. En 1973, Mafalda y sus amigos se despiden para siempre de sus lectores. Lumen ha publicado los once tomos recopilatorios de viñetas de *Mafalda*, numerados de 0 a 10, y también en un único volumen —*Mafalda. Todas las tiras* (2011)—, así como las viñetas que permanecían inéditas y que integran junto con el resto el libro *Todo Mafalda*, publicado con ocasión del cincuenta aniversario del personaje. En 2018 vio la luz la recopilación en torno al feminismo *Mafalda. Femenino singular*; en 2019, *Mafalda. En esta familia no hay jefes*, y en 2020, *El amor según Mafalda*. También han aparecido en Lumen los libros de viñetas humorísticas del dibujante, entre los que destacan *Mundo Quino* (2008), *Quinoterapia* (2008), *Simplemente Quino* (2016) o el volumen recopilatorio *Esto no es todo* (2008).

Quino ha logrado tener una gran repercusión en todo el mundo, se han instalado esculturas de Mafalda en Buenos Aires, Oviedo y Mendoza, sus libros han sido traducidos a más de veinte lenguas y dialectos (los más recientes son el armenio, el búlgaro, el hebreo, el polaco y el guaraní), y ha sido galardonado con premios tan prestigiosos como el Príncipe de Asturias de Comunicación y Humanidades y el B'nai B'rith de Derechos Humanos. Quino murió en Mendoza el 30 de septiembre de 2020.

Papel certificado por el Forest Stewardship Council®